ÉTINCELLES
Collection

D0719397

Illustrations : Dominique Bach
Isabella Misso (MIA Milan Illustratrions Agency)

Textes :
Marie-Jeanne Cura - Françoise Doll - Charles Singer - Anne-Marie Stoll

Éditeur :
Éditions du Signe - B.P. 94
1, rue Alfred Kastler
67038 Strasbourg Cedex 2
Tél. (33) 03 88 78 91 91
Fax (33) 03 88 78 91 99

Maquette : Luc Heinrich,
Éditions du Signe.

Dépôt légal : 4e trimestre 1999
ISBN : 2-87718-858-2

Déposé au Ministère de la Justice
à la date de mise en vente
Loi n° 49-956 du 16 Juillet 1949 sur les
publications destinées à la jeunesse.

Printed in France by PPO Graphic

Je m'appelle ....
j'ai .... ans
j'habite à ....
j'aime ....
....
....

3

Ça fait du bruit !
Ça nous casse les oreilles !
Ça nous ennuie !
Ça nous fait faire des détours !
Ça nous fait perdre du temps !
Ça crée des embouteillages !
C'est embêtant ! C'est agaçant !

Tout « ça », ce sont les travaux qui transforment mon quartier.
Aide-moi, Seigneur, à être patient, car c'est long de transformer
les villes et les villages et de les améliorer,
comme c'est long de rendre meilleurs les cœurs !
Merci Seigneur,
pour les hommes et les femmes
qui embellissent tous les lieux
où l'on habite !

Il pleut

Les arbres pleurent
toutes les larmes de leurs feuilles.
Les toits déversent de longs rubans fluides.
Les parapluies ruissellent
de milliers de gouttes impatientes !

Il pleut sur nos visages et dans nos chaussures !
Et nous rions et dans les flaques nous sautons !

Et la terre se réjouit de tant d'eau offerte,
de tant de graines enfouies
qui germent déjà dans les jardins,
de tant de bourgeons éclatés
d'où jaillit la vie en fleurs !

Merci, Seigneur,
pour les bienfaits de la pluie.

Confiance

C'est comme si j'écrivais sur une vitre embuée :
« Ouvre mes yeux, Seigneur !
Dans ma brume, j'ai confiance en toi !
Merci de me regarder ! »

C'est comme si je courais
dans un labyrinthe géant :
« Montre-moi le chemin, Seigneur !
Merci de me guider ! »

C'est comme si je criais dans un long tunnel :
« Guide-moi vers la sortie, Seigneur !
Dans le noir, j'ai confiance en toi.
Merci de m'écouter ! »

Jeux de société

Passe-moi les cartes,
jette le dé, avance ton pion.
À plusieurs, c'est agréable de se retrouver !
Compte tes points,
recule d'une case, prends un billet.
À plusieurs, c'est amusant de jouer !
Ne triche pas, ne t'énerve pas, vas-y.
À plusieurs, c'est excitant de gagner !
Jouer ensemble, Seigneur, c'est épatant !

Merci, Seigneur, pour les jeux
car lorsqu'on joue ensemble on apprend à être
patient, à se supporter, et à s'écouter.
On apprend à s'aimer comme tu l'as dit !

Publicité

Sur les panneaux, dans les journaux, on lit que c'est mieux !
À la télé on nous dit que c'est le moins cher !
C'est à la mode !
À l'école on voit les copains qui le possèdent déjà.
Au sport on constate que c'est le dernier cri !
C'est dans le vent !
Dans les magasins on affiche : Vive les soldes !
Au cinéma on entend : C'est ça qu'il faut manger !

Et si c'était à la mode et dans le vent
de m'arrêter un peu ce soir, Seigneur,
pour te parler ?
Le dernier cri, Seigneur, c'est de te dire :
Merci pour la joie et pour la vie !

Le pique-nique

L'air bourdonne d'insectes.
La rivière murmure ses secrets.
Il fait chaud, il fait beau.
On va se promener, c'est l'été !
Sous un ciel de feuillage la nappe est dépliée.
Il fait bon, il fait frais,
on va pique-niquer : c'est l'été !
De main en main passe la ronde des plats préparés.
Il fait doux, on est bien,
on va partager : c'est l'été !

Pour tout ce que je sens,
pour tout ce que je goûte,
pour tout ce que je reçois,
pour le repas pris ensemble,
un grand merci, Seigneur !

C'est la fête

Drôles de banderoles,
farandoles et cabrioles,
c'est la fête à l'école !
Ribambelles et balancelles,
ritournelles sous la tonnelle,
c'est la fête d'Isabelle !
Enfants et parents, petits et grands,
c'est la fête par tous les temps !

Pain offert comme une tendresse,
parole donnée comme une promesse,
c'est la fête de la messe !

Les fêtes nous rassemblent et toi,
Seigneur, tu es au milieu de nous.
Merci !

Dimanche

Aujourd'hui pas de réveil tintinnabulant
pour bousculer vers l'école !
On peut s'étirer au lit
comme un chat sur la couverture
et regarder la lumière se faufiler à travers les volets.
On est ensemble, on se parle, on rit,
on s'offre de la tendresse sans être pressés.
Quel beau jour d'amour !

On part pour l'église.
Quelle joie de rencontrer d'autres chrétiens
pour chanter le Seigneur,
pour recevoir sa Parole et son Pain qui font vivre !

C'est le jour du soleil dans les cœurs !
C'est le jour du Seigneur ! Merci.

Fête

Applaudissez le Seigneur, chantez-le !
Criez de joie pour lui,
fêtez-le avec des rires et des sourires !

Le Seigneur est si bon,
il est l'ami des hommes
et des femmes et des enfants pour toujours !

Le Seigneur est grand,
son amour est offert sans fin.

Le Seigneur est fort,
ses bras sont accueillants à tout moment !

Le Seigneur est avec nous
chaque jour.
Applaudissez le Seigneur :
c'est lui, notre Dieu !

Comme un cadeau précieux
la terre et le ciel nous sont donnés !
Comme une source qui jamais ne s'arrête,
la vie est offerte à chacun :
Dieu notre Père, tu es magnifique !
Par ta naissance et par ta vie, par ton amour sans limites,
par ta joie offerte à tous, par ta Bonne Nouvelle :
Jésus-Christ, Fils de Dieu, tu es magnifique !
Ton feu habite nos cœurs,
ton souffle est le courage de notre vie.
Tu nous appelles à avancer sans cesse :
Esprit Saint tu es magnifique !
Je vais chanter, je vais prier,
je vais annoncer :
Dieu est magnifique !